Max und der Wackelzahn

Eine Geschichte von Christian Tielmann
mit Bildern von Sabine Kraushaar

CARLSEN

Max und seine Freundin Pauline spielen Monster. Und Monster sind vor allem eins: laut. „Uuuah, ich fresse dich!“

„Ruhe!“, ruft Felix, der große Bruder von Max. „Ihr macht ja ein Geschrei, dass die Wände wackeln!“

„Quatsch! Die Wände wackeln noch lange nicht!“, antwortet Max, das Obermonster.

„Bei mir wackelt höchstens ein Zahn!“, sagt Pauline.

Max darf ganz vorsichtig in Paulines Mund fühlen. Da ist tatsächlich ein Zahn locker.

„Das kommt von eurem Geschrei“, sagt Felix. „Wenn ihr so weiterschreit, fallen euch alle Zähne aus!“

Max glaubt Felix kein Wort. Er glaubt eher, dass Felix seine Ruhe haben will.

Max

Aber als Max in der Nacht aufwacht, weil er von wilden Monstern mit riesigen Zähnen geträumt hat, merkt er, dass auch bei ihm ein Zahn wackelt. Der linke Schneidezahn unten sitzt nicht mehr ganz fest! Was, wenn Felix doch Recht hat? Vielleicht haben er und Pauline doch ein bisschen zu laut geschrien? Fallen jetzt alle seine Zähne aus?

als - when
- than
- as
aufwachsen
- to wake up
merken - to notice
von - from
by
of
about
riesig - huge

Vorsichtshalber weckt Max seine Eltern.
„Wir müssen sofort zum Zahnarzt! Der muss meinen Zahn wieder festkleben“, sagt Max.
„Den muss man nicht festkleben.“ Papa gähnt. „Das ist ganz normal in deinem Alter. Deine Milchzähne fangen jetzt an zu wackeln und fallen aus, damit du Platz im Mund hast für die neuen, bleibenden Zähne.“
„Kann ich nicht meine alten Zähne behalten?“ Max ist mit seinen Zähnen eigentlich ganz zufrieden. Wozu braucht er also neue?
„Die bleibenden Zähne sind besser als deine Milchzähnchen, Max. Sie sind größer und außerdem sind es mehr.“
Papa dreht sich im Bett herum, knipst das Licht aus und murmelt:
„Und wer einen Wackelzahn hat, ist kein kleines Kind mehr, sondern ein großes. Das ist doch super.“

„Ich hatte eine Schlägerei mit drei riesigen Monstern, aber ich habe sie alle besiegt!“, sagt Pauline am nächsten Tag. „Leider hat mir eins der Monster einen Zahn ausgeschlagen!“ Pauline grinst.
Und Max staunt: Pauline hat tatsächlich eine Zahnlücke. Der Schneidezahn, der gestern noch gewackelt hat, ist weg. Aber auf die Monstergeschichte von Pauline fällt Max natürlich nicht herein – es war ja nur ein Milchzahn.
Mit der Zahnlücke darf Pauline das Obermonster spielen. Schließlich sieht sie wirklich gefährlich aus. Max findet es ein bisschen unfair, dass Pauline schon eine Zahnlücke hat und er noch immer an seinem Zahn rumwackelt.
Er drückt mit der Zunge und mit einem Finger gegen den Wackelzahn.
Aber es ist nichts zu machen: Der Zahn will einfach nicht raus.

„Ich kann dir den Zahn ziehen“, schlägt Felix vor. „Wir könnten es mit der Kneifzange probieren. Oder mit einem Stück Schnur und der Angel!“
„Kommt nicht in Frage!“ Auf so einen Blödsinn fällt Max garantiert nicht herein. Felix seufzt. „Na gut, Kleiner. Dann gibt es nur noch eine Möglichkeit: Du musst auf einem Bein rückwärts um den Esstisch hüpfen und dabei rufen: ‚Wackelpudding, Wackelpudding, Wackelpudding!‘ Schon nach fünfzig Runden ist der Zahn draußen – versprochen.“
„Das ist doch alles Quatsch mit Soße!“, sagt Pauline. „Bei Wackelzähnen muss man einfach abwarten, bis sie ausfallen.“

LESE MAUS
Geschichten, die die Welt erklären!

Mehr? Kennst du diese schon?

Berufe

LESE MAUS
Ich hab einen Freund, der ist
Kapitän
CARLSEN

ISBN 978-3-551-08601-3

LESE MAUS
Ich hab einen Freund, der ist
Bauarbeiter
CARLSEN

ISBN 978-3-551-08602-0

LESE MAUS
Ralf Butschkow
Ich hab eine Freundin, die ist
Briefträgerin
CARLSEN

ISBN 978-3-551-08806-2

LESE MAUS
Ralf Butschkow
Ich hab einen Freund, der ist
Bäcker
CARLSEN

ISBN 978-3-551-08807-9

LESE MAUS
Wir haben einen Freund, der ist
Fußballspieler
CARLSEN
LESE MAUS
Ralf Butschkow
Ich hab eine Freundin, die ist
Zahnärztin
CARLSEN

ISBN 978-3-551-08621-1

ISBN 978-3-551-08812-3

LESE MAUS
Ralf Butschkow
Ich hab einen Freund, der ist
Busfahrer
14 FREIBAD
CARLSEN

ISBN 978-3-551-08819-2

LESE MAUS
Ich hab einen Freund, der ist
Astronaut
CARLSEN

ISBN 978-3-551-08628-0

LESE MAUS
Ich hab einen Freund, der ist
Müllmann
CARLSEN

ISBN 978-3-551-08634-1

Tolle Sachgeschichten für nur € (D) 3,90/€ (A) 4,10

✗ Kreuze die an, die du dir wünschst!

CARLSEN
www.lesemaus.de

LESE MAUS
Ich hab eine Freundin, die ist
Tierärztin
CARLSEN

ISBN 978-3-551-08617-4

LESE MAUS
Ralf Butschkow
Ich hab einen Freund, der ist
Lokführer

ISBN 978-3-551-08848-2

LESE MAUS
Ralf Butschkow
Ich hab eine Freundin, die ist
Notärztin
CARLSEN

ISBN 978-3-551-08849-9

LESE MAUS
Ralf Butschkow
Ich hab eine Freundin, die ist
Tierpflegerin
CARLSEN

ISBN 978-3-551-08955-7

LESE MAUS
Ralf Butschkow
Ich hab eine Freundin, die ist
Polizistin
CARLSEN

ISBN 978-3-551-08624-2

LESE MAUS
Ralf Butschkow
Ich hab einen Freund, der ist
Pilot
CARLSEN

ISBN 978-3-551-08873-4

LESE MAUS
Ralf Butschkow
Ich hab einen Freund, der ist
Rennfahrer

ISBN 978-3-551-08658-7

LESE MAUS
Ralf Butschkow
Ich hab einen Freund, der ist
Feuerwehrmann
FEUERWEHR
CARLSEN

ISBN 978-3-551-08893-2

LESE MAUS
Ralf Butschkow
Ich hab einen Freund, der ist
Lastwagenfahrer
CARLSEN

ISBN 978-3-551-08805-5

Weltwissen

LESE MAUS
Mein erstes Wiesenblumen Buch
CARLSEN

ISBN 978-3-551-08915-1

LESE MAUS
Lukas spielt Fußball
CARLSEN

ISBN 978-3-551-08841-3

LESE MAUS
Leonie und ihr Töpfchen
CARLSEN

ISBN 978-3-551-08867-3

LESE MAUS
Dinosaurier

ISBN 978-3-551-08895-6

LESE MAUS
Finn und Alexander gehen segeln
CARLSEN

ISBN 978-3-551-08907-6

LESE MAUS
Tim Borowski
der Fußballprofi
CARLSEN

ISBN 978-3-551-08913-7

Conni

LESE MAUS
Conni auf dem Bauernhof
Liane Schneider
Eva Wenzel-Bürger
CARLSEN

ISBN 978-3-551-08604-4

LESE MAUS
Conni am Strand
CARLSEN

ISBN 978-3-551-08814-7

LESE MAUS
Conni lernt reiten
Liane Schneider
Eva Wenzel-Bürger
CARLSEN

ISBN 978-3-551-08623-5

LESE MAUS
Conni macht Musik
Liane Schneider
Eva Wenzel-Bürger
CARLSEN

ISBN 978-3-551-08821-5

LESE MAUS
Conni kommt in den Kindergarten
Liane Schneider
Eva Wenzel-Bürger
CARLSEN

ISBN 978-3-551-08828-4

LESE MAUS
Liane Schneider
Eva Wenzel-Bürger
Conni macht das Seepferdchen
CARLSEN

ISBN 978-3-551-08630-3

LESE MAUS
Conni kommt in die Schule
CARLSEN
ISBN 978-3-551-08846-8

LESE MAUS
Conni und das neue Baby
CARLSEN
ISBN 978-3-551-08618-1

LESE MAUS
Conni geht zum Zahnarzt
CARLSEN
ISBN 978-3-551-08627-3

LESE MAUS
Conni tanzt
CARLSEN
ISBN 978-3-551-08629-7

LESE MAUS
Conni feiert Weihnachten
CARLSEN
ISBN 978-3-551-08858-1

LESE MAUS
Conni im Krankenhaus
Conni
CARLSEN
ISBN 978-3-551-08632-7

LESE MAUS
Conni backt Pizza
CARLSEN
ISBN 978-3-551-08639-6

LESE MAUS
Conni lernt Rad fahren
CARLSEN
ISBN 978-3-551-08648-8

LESE MAUS
Conni und der Osterhase
CARLSEN
ISBN 978-3-551-08655-6

LESE MAUS
Conni spielt Fußball
CARLSEN
ISBN 978-3-551-08660-0

LESE MAUS
Conni geht zelten
CARLSEN
ISBN 978-3-551-08884-0

LESE MAUS
Conni hat Geburtstag!
CARLSEN
ISBN 978-3-551-08892-5

LESE MAUS
Conni bekommt eine Katze
CARLSEN
ISBN 978-3-551-08897-0

Max

LESE MAUS
Max geht nicht mit Fremden mit
CARLSEN
ISBN 978-3-551-08904-5

LESE MAUS
Max und der Wackelzahn
CARLSEN
ISBN 978-3-551-08813-0

LESE MAUS
Max baut ein Piratenschiff
CARLSEN
ISBN 978-3-551-08832-1

LESE MAUS
Max wünscht sich ein Kaninchen
CARLSEN
ISBN 978-3-551-08843-7

LESE MAUS
Max wird Weltmeister
CARLSEN
ISBN 978-3-551-08872-7

LESE MAUS
Max geht zur Tagesmutter
CARLSEN
ISBN 978-3-551-08894-9

Abenteuer Geschichte(n)

LESE MAUS
JIM BEI DEN COWBOYS
CARLSEN
ISBN 978-3-551-08817-8

LESE MAUS
EIN TAG BEI DEN WIKINGERN
CARLSEN
ISBN 978-3-551-08823-9

LESE MAUS
Tom bei den Piraten
CARLSEN
ISBN 978-3-551-08827-7

LESE MAUS
Hauke Kock
Von Rittern und Burgen
CARLSEN

ISBN 978-3-551-08614-3

LESE MAUS
Ein Tag im alten
Ägypten
CARLSEN

ISBN 978-3-551-08950-2

LESE MAUS
EIN TAG IN DER
STEINZEIT
CARLSEN

ISBN 978-3-551-08938-0

LESE MAUS
Ein Tag
im Mittelalter
CARLSEN

ISBN 978-3-551-08868-0

LESE MAUS
IM DORF DER
INDIANER
CARLSEN

ISBN 978-3-551-08885-7

Autos und Technik

LESE MAUS
Große Fahrzeuge
auf dem Bauernhof
CARLSEN

ISBN 978-3-551-08830-7

LESE MAUS
Große Fahrzeuge
auf der Baustelle
CARLSEN

ISBN 978-3-551-08940-3

LESE MAUS
Riesenlaster
Superbagger Flugmaschinen
CARLSEN

ISBN 978-3-551-08889-5

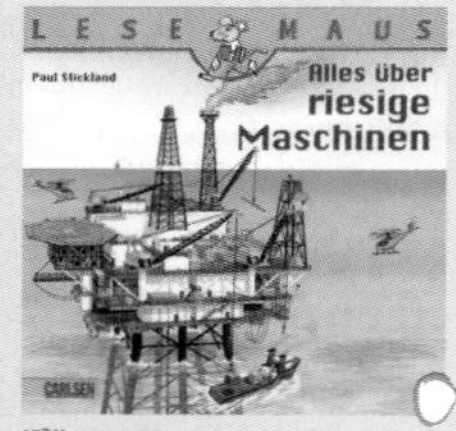
LESE MAUS
Paul Stickland
Alles über
riesige
Maschinen
CARLSEN

ISBN 978-3-551-08890-1

Pferde

LESE MAUS
Janko,
das kleine
Wildpferd

ISBN 978-3-551-08662-4

LESE MAUS
Alles, was dein
Pony
braucht
Die kleine Reitschule

ISBN 978-3-551-08811-6

LESE MAUS
Unser
Ponyhof

ISBN 978-3-551-08866-6

LESE MAUS
Jana geht reiten
CARLSEN

ISBN 978-3-551-08876-5

LESE MAUS
Der erste
Ausritt
Die kleine Reitschule

ISBN 978-3-551-08844-4

LESE MAUS
Mein erstes
Reiterlexikon
Die kleine Reitschule
CARLSEN

ISBN 978-3-551-08869-7

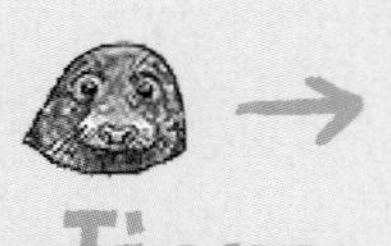

Tiere

LESE MAUS
Bella, der
kleine Hund
CARLSEN

ISBN 978-3-551-08818-5

LESE MAUS
Nick,
das Delfinbaby
CARLSEN

ISBN 978-3-551-08835-2

LESE MAUS
Der Orka
Das Lied des Meeres

ISBN 978-3-551-08845-1

LESE MAUS
Kleiner Kater
Leo
CARLSEN

ISBN 978-3-551-08875-8

LESE MAUS
Molli,
das kleine Schaf
CARLSEN

ISBN 978-3-551-08998-4

LESE MAUS
Nanuk,
der kleine Eisbär
CARLSEN

ISBN 978-3-551-08999-1

Alle Lesemäuse und jede Menge spannende Dinge zum Mitmachen findest du auf www.lesemaus.de

„Zähneputzen nicht vergessen!“, ruft Mama am Abend.
„Wozu das denn?“ Wenn die Milchzähne sowieso alle ausfallen, dann braucht er sie auch nicht mehr zu putzen, findet Max.
„Ich spül sie ab, wenn sie ausgefallen sind“, schlägt er vor.
„Kommt nicht in Frage!“, sagt seine Mutter. „Du musst auch die Milchzähne noch putzen, sonst gehen sie kaputt! Und bis die neuen Zähne da sind, brauchst du die alten ja noch!“

Ein paar Tage später hat Max einen Termin bei Frau Dr. Kraft. Frau Kraft ist Zahnärztin. Max fühlt sich ein bisschen mulmig, als er auf den großen Stuhl klettert, aber zum Glück ist Papa dabei und kann seine Hand halten. Max muss den Mund ganz weit aufsperren, damit Frau Kraft seine Zähne untersuchen kann.
„He, da wackelt ja schon einer!“, freut sich Frau Kraft, als sie den Wackelzahn entdeckt. Sie nimmt einen kleinen Spiegel und betrachtet damit auch die Rückseite der Zähne.
„Deine Zähne sind gesund, Max. Du musst sie auch weiter gut putzen, damit das so bleibt. Am besten dreimal am Tag nach dem Essen.“

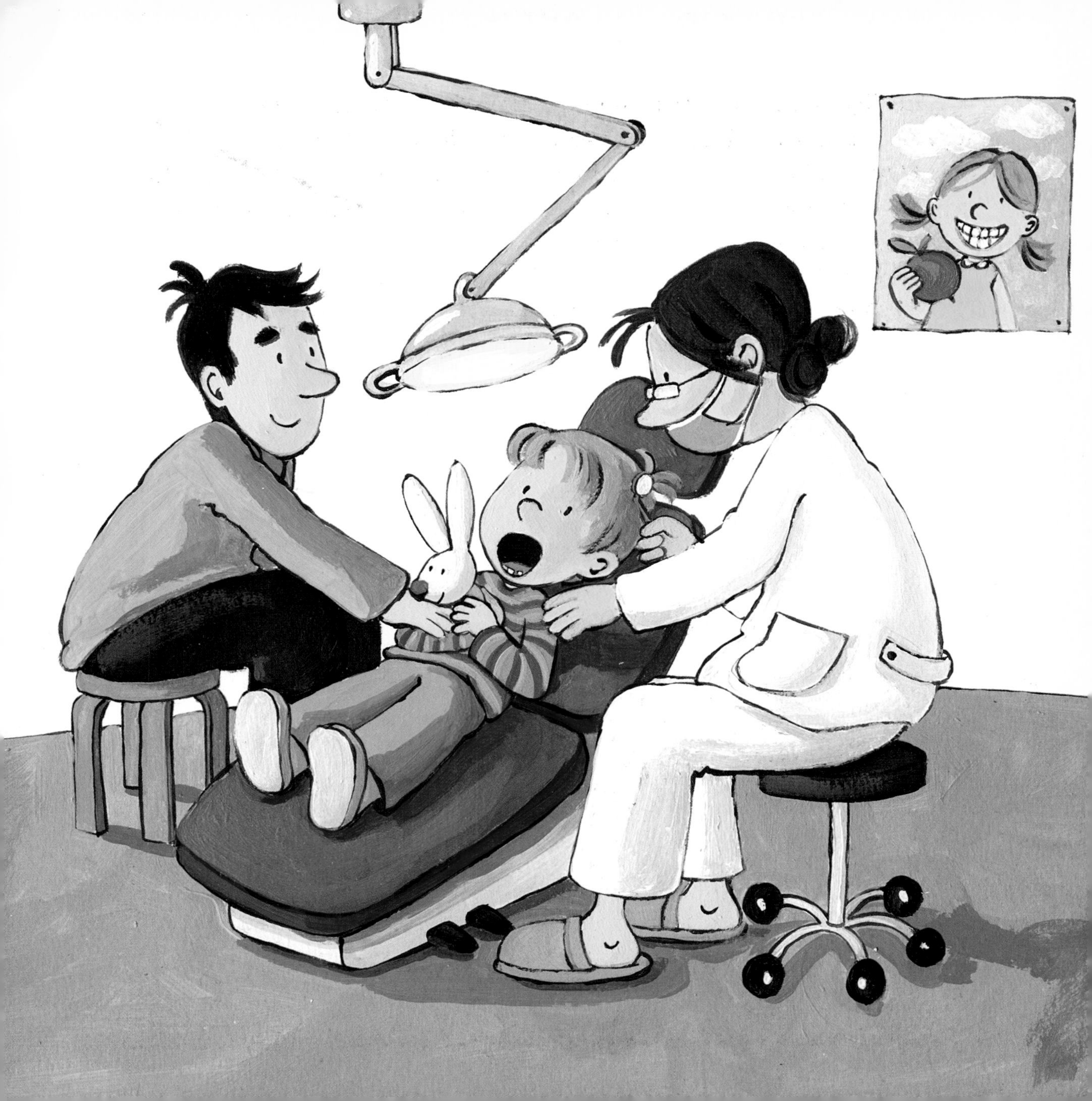

Auf dem Rückweg vom Zahnarzt wackelt Max die ganze Zeit an seinem Wackelzahn herum. Und als der Bus über einen Hubbel fährt, passiert es: Plötzlich ist der Zahn raus! Max spürt ihn auf der Zunge und holt ihn vorsichtig aus dem Mund. Es blutet ein bisschen, aber nicht viel. „Hurra!“, ruft Max und zeigt seinem Vater stolz die Zahnlücke.

„Wir müssen unsere Zähne sammeln!“, sagt Max.
„Genau! Das sind unsere Monsterzähne.“ Pauline nickt begeistert.
„Am besten basteln wir eine Monsterzahnschachtel, damit wir sie nicht verlieren.“

Während die beiden zwei Streichholzschachteln für ihre Milchzähne bekleben und anmalen, rutscht Max mit der Zunge immer wieder in seine nagelneue Zahnlücke. Das fühlt sich seltsam an.

max
LESE MAUS

Max ist ungeduldig. „Wann kommt denn endlich der neue Zahn?“, fragt er.
„Meiner ist schon da“, sagt Pauline.
Tatsächlich guckt bei ihrer Zahnlücke schon der neue Zahn raus. Aber bei Max ist noch nichts zu sehen. Ob nun doch eine Zahnlücke bleibt?
„Dein neuer Zahn kommt schon noch“, beruhigt ihn seine Mutter.
„Es dauert höchstens ein paar Tage, bis du etwas Weißes sehen kannst.“
„Und wann wackelt der nächste?“, fragt Max.
Pauline probiert einen nach dem anderen durch,
aber alle Zähne sind noch fest.

„Nur Geduld“, sagt Mama. „Als Nächstes kommen die restlichen Schneidezähne dran, dann die vorderen Backenzähne und die Eckzähne. Und ganz zum Schluss kriegt ihr die neuen hinteren Backenzähne.“
„Das kann ja noch bis Weihnachten dauern, bis wir mit unseren Wackelzähnen fertig sind!“, stöhnt Pauline.
Mama lacht. „Noch viel länger! Das neue Gebiss mit den bleibenden Zähnen ist erst in etwa sieben Jahren fertig. Und dann kommen noch die Weisheitszähne. Das sind die hintersten Backenzähne – die kriegt ihr erst, wenn ihr erwachsen seid.“
„Das ist ja super!“, ruft Max. „Dann haben wir sieben Jahre lang Zahnlücken wie richtige Monster?“
„Die habt ihr“, sagt Max’ Mutter. „Und außerdem habe ich noch eine kleine Wackelzahn-Überraschung für euch.“

„Juhu, zwei neue Obermonster!“, ruft Max so laut, dass die Wände und die Milchzähne in den Schachteln wackeln.